왕초보 헬라어 펜습자

성경 그리스어 알파벳 따라쓰기

허 동 보   저

* 이 책에 삽입된 성경구절은 개역한글과 Westcott-Hort Greek NT 역본을 사용하였습니다.
* 사용된 글꼴은 다음과 같습니다.
- 한국어/영어: 부크크명조체, 부크크돋움체, 세방고딕체, 나눔스퀘어체
- 그리스어: Noto Serif greek, Noto sans greek

머리말

『히브리어 알파벳 펜습자』를 출간하고 많은 분들께서 응원을 보내주셨습니다. 그 동안 출판되어왔던 수많은 교재들과 달리 꼭 필요한 내용만 있다고 말씀해 주셔서 얼마나 큰 힘이 되었는지 모릅니다. 그 힘을 통해 이렇게 그리스어^{헬라어} 교재도 준비할 수 있었습니다.

사실 한국어로 된 성경을 펼쳐 읽어보면 조금 당황스러울 때가 종종 있습니다. 지금은 사용하지 않는 단어나 동음이의어로 자칫 오해의 소지가 있는 부분이 상당히 많기 때문입니다. 성경을 한 번 읽고 지나는 가벼운 소설 정도로 인식한다면 큰 문제는 없겠지만, 우리가 그리스도인으로 살아가며 수십 번에 걸쳐 읽게 되는 경우에는 작은 문제가 아닐 수 없습니다. 영어가 됐든 라틴어가 됐든 어떤 언어로 만들어진 문서이건 마찬가지라고 볼 수 있습니다.

이는 번역가의 문제라고 하기 보다는 각각의 언어가 가지고 있는 한계라고 할 수 있습니다. 만약 우리말에서 '노르스름한'이나 '검붉은'을 영어로 번역한다면 어떻게 번역할 수 있을까요? 'yellowish'나 'dark red' 정도로 밖에 번역할 수 없을 겁니다. 이런 언어적 한계로 인해 우리는 많은 오해를 가지게 되는데, 이는 성경에서도 다를 바 없습니다. 그렇다고 해서 작문과 회화가 가능할 정도로 공부를 해야 하는 것은 아닙니다. 그리스도인인 우리는 그저 성경을 제대로 읽을 수 있을 정도만 알면 됩니다. 가장 기초적인 과정으로 알파벳을 알고 발음을 익혀야 합니다.

이 책은 읽을 수 있고, 쓸 수 있도록 하기 위한 책입니다. 문법은 성경을 읽어가며 차근차근 배우면 됩니다. 읽을 수 있고 쓸 수 있으면 문법을 배우기가 훨씬 쉬워집니다. 제가 진행하고 있는 '왕초보 원어성경 읽기' 강좌도 많은 이들이 히브리어와 헬라어를 두려워하지 않도록 하는 것이 그 첫번째 목적입니다. 일단 읽고 쓸 수 있으면 반은 한 것이니까요.

이 책은 총 세 장으로 구성되어 있습니다.

제 1 장은 헬라어 알파벳입니다. 대문자와 소문자로 구성된 헬라어 알파벳을 아주 지겹도록 쓸 겁니다. 어떤 언어든 아주 지겹도록 쓰고 읽어야 머릿속에 오래 남게 됩니다. 헬라어는 히브리어와 달리 접근성이 좋습니다. 영어나 라틴어와 그 모양이 비슷한 부분이 많기 때문입니다. 물론 영어나 라틴어라는 단어만 들어도 골치가 아플 수 있습니다. 하지만, 헬라어 공부를 해보면 영어나 라틴어에 대한 이해도 훨씬 높아집니다.

제 2 장은 헬라어 모음을 배웁니다. 따라 쓰면서 억지로 외우는 것이 아니라 단어 속에서 어떻게 등장하는지를 살펴봅니다. 기본적인 모음과 더불어 이중모음에 대해 짚고 넘어가려고 합니다. 히브리어와 마찬가지로 헬라어 역시 모음보다는 자음이 더 중요하기 때문에 간략한 설명 후 단어에서 어떻게 등장하는지를 배우고 쓰고 따라 읽도록 합니다.

제 3 장은 문장을 학습합니다. 성경 속 구절들을 따라 읽고, 따라 쓰는 과정을 통해 조금씩 익숙해질 수 있도록 합니다. 단, 주의할 점이 있습니다. 그냥 쓰기만 해서도 안 되고, 그냥 읽기만 해서도 안됩니다. 꼭 쓰면서 함께 읽어야 효과적입니다. 우리 몸과 뇌가 동시에 기억하기 위해서는 이 방법이 가장 효과적입니다. 오래 걸릴 것 같은가요? 생각보다 시간도 얼마 안 걸립니다.

이 책은 단지 평선도라 부르는 일반 성도들뿐만이 아니라 헬라어를 배워야만 하는 신학대학원생들, 예전에 배운 헬라어를 다시 공부하고자 하는 목회자들, 그리고 헬라어 기초 교재를 찾고 계시는 교수님들 등 다양한 분들께 도움이 되길 바라며 출판했습니다. 이 책을 통해 많은 분들이 신약성경 속 예수님의 말씀을 더 큰 은혜와 감동 속에서 들을 수 있기를 소망합니다.

마지막으로 사랑하는 아내와 부모님, 그리고 저의 세 아이들 훈, 쩩, 쭌, 그리고 수현교회 성도들에게 감사와 사랑 전합니다. 아울러 제 신앙과 신학을 이끌어 주신 박상돈 목사님, 이동영 교수님, 임용섭 교수님께도 감사드립니다. 특별히 성경원어 공부를 지금까지 할 수 있도록 이끌어 주신 이학재 교수님께 깊은 감사의 마음 전합니다. 또한, 항상 물심양면으로 챙겨 주시는 박영준 전도사님, 김관용 전도사님을 비롯하여 함께 기도해 주신 많은 분들께 감사의 마음 전합니다.

soli Deo gloria!

2023 년 봄기운을 느끼며…

저자 허 동 보

목차

_____

제1장 헬라어 알파벳

1. 한 글자씩 따라쓰기

※주의

꼭 입으로 소리 내어 읽으면서 따라 쓰세요.

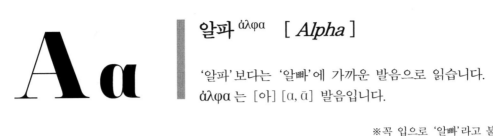

Aa

알파 ^{ἀλφα}　[*Alpha*]

'알파'보다는 '알빠'에 가까운 발음으로 읽습니다.
ἀλφα 는 [아] [ɑ, ᾱ] 발음입니다.

※꼭 입으로 '알빠'라고 불러가며 따라쓰세요.

Aa	Aa	Aa	Aa	Aa	Aa	Aa	Aa	Aa	Aa
Aa	Aa	Aa	Aa	Aa	Aa	Aa	Aa	Aa	Aa
Aa	Aa	Aa	Aa	Aa	Aa	Aa	Aa	Aa	Aa
Aa	Aa	Aa	Aa	Aa	Aa	Aa	Aa	Aa	Aa
Aa	Aa	Aa	Aa	Aa	Aa	Aa	Aa	Aa	Aa
Aa	Aa	Aa	Aa	Aa	Aa	Aa	Aa	Aa	Aa
Aa	Aa	Aa	Aa	Aa	Aa	Aa	Aa	Aa	Aa
Aa	Aa	Aa	Aa	Aa	Aa	Aa	Aa	Aa	Aa
Aa	Aa	Aa	Aa	Aa	Aa	Aa	Aa	Aa	Aa
Aa	Aa	Aa	Aa	Aa	Aa	Aa	Aa	Aa	Aa
Aa	Aa	Aa	Aa	Aa	Aa	Aa	Aa	Aa	Aa
Aa	Aa	Aa	Aa	Aa	Aa	Aa	Aa	Aa	Aa

Β β

베타 βητα [*Beta*]

'베따'에 가까운 발음으로 읽습니다. βητα 는 [b] 발음입니다.
소문자를 쓸 때, 왼쪽 꼬리 끝에서부터 한 번에 이어서 씁니다.

※꼭 입으로 '베따'라고 불러가며 따라쓰세요.

Β β	Β β	Β β	Β β	Β β	Β β	Β β	Β β	Β β
Β β	Β β	Β β	Β β	Β β	Β β	Β β	Β β	Β β
Β β	Β β	Β β	Β β	Β β	Β β	Β β	Β β	Β β
Β β	Β β	Β β	Β β	Β β	Β β	Β β	Β β	Β β
Β β	Β β	Β β	Β β	Β β	Β β	Β β	Β β	Β β
Β β	Β β	Β β	Β β	Β β	Β β	Β β	Β β	Β β
Β β	Β β	Β β	Β β	Β β	Β β	Β β	Β β	Β β
Β β	Β β	Β β	Β β	Β β	Β β	Β β	Β β	Β β
Β β	Β β	Β β	Β β	Β β	Β β	Β β	Β β	Β β
Β β	Β β	Β β	Β β	Β β	Β β	Β β	Β β	Β β
Β β	Β β	Β β	Β β	Β β	Β β	Β β	Β β	Β β
Β β	Β β	Β β	Β β	Β β	Β β	Β β	Β β	Β β

감마 γάμμα [*Gamma*]

γάμμα 는 [g] 발음입니다.
소문자를 쓸 때, 왼쪽에서부터 오른쪽으로 한 번에 이어서 씁니다.

※꼭 입으로 '감마'라고 불러가며 따라쓰세요.

Δ δ

델타 δέλτα [*Delta*]

δέλτα 는 [d] 발음입니다.
소문자를 쓸 때, 아래 동그라미부터 한 번에 이어서 씁니다.

※꼭 입으로 '델따' 라고 불러가며 따라쓰세요.

Δ δ	Δ δ	Δ δ	Δ δ	Δ δ	Δ δ	Δ δ	Δ δ	Δ δ	Δ δ
Δ δ	Δ δ	Δ δ	Δ δ	Δ δ	Δ δ	Δ δ	Δ δ	Δ δ	Δ δ
Δ δ	Δ δ	Δ δ	Δ δ	Δ δ	Δ δ	Δ δ	Δ δ	Δ δ	Δ δ
Δ δ	Δ δ	Δ δ	Δ δ	Δ δ	Δ δ	Δ δ	Δ δ	Δ δ	Δ δ
Δ δ	Δ δ	Δ δ	Δ δ	Δ δ	Δ δ	Δ δ	Δ δ	Δ δ	Δ δ
Δ δ	Δ δ	Δ δ	Δ δ	Δ δ	Δ δ	Δ δ	Δ δ	Δ δ	Δ δ
Δ δ	Δ δ	Δ δ	Δ δ	Δ δ	Δ δ	Δ δ	Δ δ	Δ δ	Δ δ
Δ δ	Δ δ	Δ δ	Δ δ	Δ δ	Δ δ	Δ δ	Δ δ	Δ δ	Δ δ
Δ δ	Δ δ	Δ δ	Δ δ	Δ δ	Δ δ	Δ δ	Δ δ	Δ δ	Δ δ
Δ δ	Δ δ	Δ δ	Δ δ	Δ δ	Δ δ	Δ δ	Δ δ	Δ δ	Δ δ
Δ δ	Δ δ	Δ δ	Δ δ	Δ δ	Δ δ	Δ δ	Δ δ	Δ δ	Δ δ
Δ δ	Δ δ	Δ δ	Δ δ	Δ δ	Δ δ	Δ δ	Δ δ	Δ δ	Δ δ

Ε ε

엡실론 ἐψιλον [*Epsilon*]

ἐψιλον 은 단모음으로 [e] 발음입니다.
소문자는 숫자 3 을 거꾸로 쓰듯이 한 번에 이어서 씁니다.

※꼭 입으로 '엡실론'이라고 불러가며 따라쓰세요.

Ε ε	Ε ε	Ε ε	Ε ε	Ε ε	Ε ε	Ε ε	Ε ε	Ε ε
Ε ε	Ε ε	Ε ε	Ε ε	Ε ε	Ε ε	Ε ε	Ε ε	Ε ε
Ε ε	Ε ε	Ε ε	Ε ε	Ε ε	Ε ε	Ε ε	Ε ε	Ε ε
Ε ε	Ε ε	Ε ε	Ε ε	Ε ε	Ε ε	Ε ε	Ε ε	Ε ε
Ε ε	Ε ε	Ε ε	Ε ε	Ε ε	Ε ε	Ε ε	Ε ε	Ε ε
Ε ε	Ε ε	Ε ε	Ε ε	Ε ε	Ε ε	Ε ε	Ε ε	Ε ε
Ε ε	Ε ε	Ε ε	Ε ε	Ε ε	Ε ε	Ε ε	Ε ε	Ε ε
Ε ε	Ε ε	Ε ε	Ε ε	Ε ε	Ε ε	Ε ε	Ε ε	Ε ε
Ε ε	Ε ε	Ε ε	Ε ε	Ε ε	Ε ε	Ε ε	Ε ε	Ε ε
Ε ε	Ε ε	Ε ε	Ε ε	Ε ε	Ε ε	Ε ε	Ε ε	Ε ε
Ε ε	Ε ε	Ε ε	Ε ε	Ε ε	Ε ε	Ε ε	Ε ε	Ε ε
Ε ε	Ε ε	Ε ε	Ε ε	Ε ε	Ε ε	Ε ε	Ε ε	Ε ε

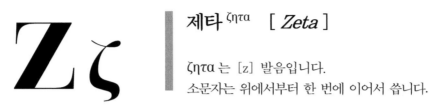

Ζζ

제타 ζητα [Zeta]

ζητα 는 [z] 발음입니다.
소문자는 위에서부터 한 번에 이어서 씁니다.

※꼭 입으로 '제따'라고 불러가며 따라쓰세요.

Ζζ	Ζζ	Ζζ	Ζζ	Ζζ	Ζζ	Ζζ	Ζζ	Ζζ	Ζζ
Ζζ	Ζζ	Ζζ	Ζζ	Ζζ	Ζζ	Ζζ	Ζζ	Ζζ	Ζζ
Ζζ	Ζζ	Ζζ	Ζζ	Ζζ	Ζζ	Ζζ	Ζζ	Ζζ	Ζζ
Ζζ	Ζζ	Ζζ	Ζζ	Ζζ	Ζζ	Ζζ	Ζζ	Ζζ	Ζζ
Ζζ	Ζζ	Ζζ	Ζζ	Ζζ	Ζζ	Ζζ	Ζζ	Ζζ	Ζζ
Ζζ	Ζζ	Ζζ	Ζζ	Ζζ	Ζζ	Ζζ	Ζζ	Ζζ	Ζζ
Ζζ	Ζζ	Ζζ	Ζζ	Ζζ	Ζζ	Ζζ	Ζζ	Ζζ	Ζζ
Ζζ	Ζζ	Ζζ	Ζζ	Ζζ	Ζζ	Ζζ	Ζζ	Ζζ	Ζζ
Ζζ	Ζζ	Ζζ	Ζζ	Ζζ	Ζζ	Ζζ	Ζζ	Ζζ	Ζζ
Ζζ	Ζζ	Ζζ	Ζζ	Ζζ	Ζζ	Ζζ	Ζζ	Ζζ	Ζζ
Ζζ	Ζζ	Ζζ	Ζζ	Ζζ	Ζζ	Ζζ	Ζζ	Ζζ	Ζζ
Ζζ	Ζζ	Ζζ	Ζζ	Ζζ	Ζζ	Ζζ	Ζζ	Ζζ	Ζζ

Hη

에타 ^{ἠτα} [*Eta*]

ἠτα 는 장모음 [e] 발음입니다.
소문자는 위에서부터 내려왔다가 다시 올라가서 내려옵니다.

※꼭 입으로 '에따'라고 불러가며 따라쓰세요.

Hη	Hη	Hη	Hη	Hη	Hη	Hη	Hη	Hη	Hη
Hη	Hη	Hη	Hη	Hη	Hη	Hη	Hη	Hη	Hη
Hη	Hη	Hη	Hη	Hη	Hη	Hη	Hη	Hη	Hη
Hη	Hη	Hη	Hη	Hη	Hη	Hη	Hη	Hη	Hη
Hη	Hη	Hη	Hη	Hη	Hη	Hη	Hη	Hη	Hη
Hη	Hη	Hη	Hη	Hη	Hη	Hη	Hη	Hη	Hη
Hη	Hη	Hη	Hη	Hη	Hη	Hη	Hη	Hη	Hη
Hη	Hη	Hη	Hη	Hη	Hη	Hη	Hη	Hη	Hη
Hη	Hη	Hη	Hη	Hη	Hη	Hη	Hη	Hη	Hη
Hη	Hη	Hη	Hη	Hη	Hη	Hη	Hη	Hη	Hη
Hη	Hη	Hη	Hη	Hη	Hη	Hη	Hη	Hη	Hη
Hη	Hη	Hη	Hη	Hη	Hη	Hη	Hη	Hη	Hη

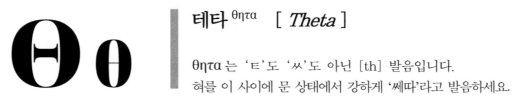

Θ θ

테타 θητα [*Theta*]

θητα 는 'ㅌ'도 'ㅆ'도 아닌 [th] 발음입니다.
혀를 이 사이에 문 상태에서 강하게 '쎄따'라고 발음하세요.

※꼭 입으로 '쎄따'라고 불러가며 따라쓰세요.

I ι

이오타 ιωτα [*Iota*]

ιωτα 는 장모음이 되기도 하지만, 대부분 단모음 [i] 발음입니다.
영문자 i 와 대소문자가 비슷합니다.

※꼭 입으로 '이오따'라고 불러가며 따라쓰세요.

I ι	I ι	I ι	I ι	I ι	I ι	I ι	I ι	I ι	I ι
I ι	I ι	I ι	I ι	I ι	I ι	I ι	I ι	I ι	I ι
I ι	I ι	I ι	I ι	I ι	I ι	I ι	I ι	I ι	I ι
I ι	I ι	I ι	I ι	I ι	I ι	I ι	I ι	I ι	I ι
I ι	I ι	I ι	I ι	I ι	I ι	I ι	I ι	I ι	I ι
I ι	I ι	I ι	I ι	I ι	I ι	I ι	I ι	I ι	I ι
I ι	I ι	I ι	I ι	I ι	I ι	I ι	I ι	I ι	I ι
I ι	I ι	I ι	I ι	I ι	I ι	I ι	I ι	I ι	I ι
I ι	I ι	I ι	I ι	I ι	I ι	I ι	I ι	I ι	I ι
I ι	I ι	I ι	I ι	I ι	I ι	I ι	I ι	I ι	I ι
I ι	I ι	I ι	I ι	I ι	I ι	I ι	I ι	I ι	I ι
I ι	I ι	I ι	I ι	I ι	I ι	I ι	I ι	I ι	I ι

Κκ

칸파 ^{καππα} [*Kappa*]

καππα 는 [k] 발음입니다.
영문자 k 와 대소문자가 똑같습니다..

※꼭 입으로 '캅빠'라고 불러가며 따라쓰세요.

Κκ	Κκ	Κκ	Κκ	Κκ	Κκ	Κκ	Κκ	Κκ	Κκ
Κκ	Κκ	Κκ	Κκ	Κκ	Κκ	Κκ	Κκ	Κκ	Κκ
Κκ	Κκ	Κκ	Κκ	Κκ	Κκ	Κκ	Κκ	Κκ	Κκ
Κκ	Κκ	Κκ	Κκ	Κκ	Κκ	Κκ	Κκ	Κκ	Κκ
Κκ	Κκ	Κκ	Κκ	Κκ	Κκ	Κκ	Κκ	Κκ	Κκ
Κκ	Κκ	Κκ	Κκ	Κκ	Κκ	Κκ	Κκ	Κκ	Κκ
Κκ	Κκ	Κκ	Κκ	Κκ	Κκ	Κκ	Κκ	Κκ	Κκ
Κκ	Κκ	Κκ	Κκ	Κκ	Κκ	Κκ	Κκ	Κκ	Κκ
Κκ	Κκ	Κκ	Κκ	Κκ	Κκ	Κκ	Κκ	Κκ	Κκ
Κκ	Κκ	Κκ	Κκ	Κκ	Κκ	Κκ	Κκ	Κκ	Κκ
Κκ	Κκ	Κκ	Κκ	Κκ	Κκ	Κκ	Κκ	Κκ	Κκ
Κκ	Κκ	Κκ	Κκ	Κκ	Κκ	Κκ	Κκ	Κκ	Κκ

람다 λαμβδα　[*Lambda*]

λαμβδα 는 [1] 발음입니다.
대문자 알파(Α)나 델타(Δ)와 혼동되지 않도록 주의하세요.

※꼭 입으로 '람다'라고 불러가며 따라쓰세요.

Mμ

뮈 μυ [*Mü*]

μυ 는 [m] 발음입니다. 소문자를 쓸 때, 왼쪽에서 올라가세요.
μυ 를 읽을 때 입 모양은 '우'로 하고 소리는 '이'로 내보세요.

※꼭 입으로 '뮈'라고 불러가며 따라쓰세요.

Mμ	Mμ	Mμ	Mμ	Mμ	Mμ	Mμ	Mμ	Mμ	Mμ
Mμ	Mμ	Mμ	Mμ	Mμ	Mμ	Mμ	Mμ	Mμ	Mμ
Mμ	Mμ	Mμ	Mμ	Mμ	Mμ	Mμ	Mμ	Mμ	Mμ
Mμ	Mμ	Mμ	Mμ	Mμ	Mμ	Mμ	Mμ	Mμ	Mμ
Mμ	Mμ	Mμ	Mμ	Mμ	Mμ	Mμ	Mμ	Mμ	Mμ
Mμ	Mμ	Mμ	Mμ	Mμ	Mμ	Mμ	Mμ	Mμ	Mμ
Mμ	Mμ	Mμ	Mμ	Mμ	Mμ	Mμ	Mμ	Mμ	Mμ
Mμ	Mμ	Mμ	Mμ	Mμ	Mμ	Mμ	Mμ	Mμ	Mμ
Mμ	Mμ	Mμ	Mμ	Mμ	Mμ	Mμ	Mμ	Mμ	Mμ
Mμ	Mμ	Mμ	Mμ	Mμ	Mμ	Mμ	Mμ	Mμ	Mμ
Mμ	Mμ	Mμ	Mμ	Mμ	Mμ	Mμ	Mμ	Mμ	Mμ
Mμ	Mμ	Mμ	Mμ	Mμ	Mμ	Mμ	Mμ	Mμ	Mμ

N ν

뉘 ʸᵛ [*Nü*]

νυ 는 [n] 발음입니다. 모양은 영문자 'ν'에 가깝습니다.
νυ 를 읽을 때, 입 모양은 '우'로 하고 소리는 '이'로 내보세요.

※꼭 입으로 '뉘'라고 불러가며 따라쓰세요.

Nν	Nν	Nν	Nν	Nν	Nν	Nν	Nν	Nν	Nν
Nν	Nν	Nν	Nν	Nν	Nν	Nν	Nν	Nν	Nν
Nν	Nν	Nν	Nν	Nν	Nν	Nν	Nν	Nν	Nν
Nν	Nν	Nν	Nν	Nν	Nν	Nν	Nν	Nν	Nν
Nν	Nν	Nν	Nν	Nν	Nν	Nν	Nν	Nν	Nν
Nν	Nν	Nν	Nν	Nν	Nν	Nν	Nν	Nν	Nν
Nν	Nν	Nν	Nν	Nν	Nν	Nν	Nν	Nν	Nν
Nν	Nν	Nν	Nν	Nν	Nν	Nν	Nν	Nν	Nν
Nν	Nν	Nν	Nν	Nν	Nν	Nν	Nν	Nν	Nν
Nν	Nν	Nν	Nν	Nν	Nν	Nν	Nν	Nν	Nν
Nν	Nν	Nν	Nν	Nν	Nν	Nν	Nν	Nν	Nν
Nν	Nν	Nν	Nν	Nν	Nν	Nν	Nν	Nν	Nν

크시 ξι ´ [Xi]

ξι 는 [ks, x] 발음입니다.
소문자를 쓸 때, 왼쪽 위에서부터 한 번에 내려오면 됩니다.

※꼭 입으로 '크씨'라고 불러가며 따라쓰세요.

O o

오미크론 ὀμικρον [*Omicron*]

ὀμικρον 은 단모음 [o] 발음입니다.
영문자 o 와 모양이 동일합니다..

※꼭 입으로 '오-미크론'이라고 불러가며 따라쓰세요.

Π π

피 ㄲ [*Pi*]

ㄲ 는 [p] 발음입니다.
수학책에서 보던 π 파이입니다.

※꼭 입으로 '피'라고 불러가며 따라쓰세요.

P ρ

로 ῥω [*Pho*]

ῥω 는 [r] 발음입니다. 생김새가 영문자 p 와 비슷합니다.
λ[l]와는 발음이 다릅니다. 소문자는 오른쪽 하단에서 한 번에 쭉 그리세요

※꼭 입으로 '로'라고 불러가며 따라쓰세요.

P ρ	P ρ	P ρ	P ρ	P ρ	P ρ	P ρ	P ρ	P ρ	P ρ
P ρ	P ρ	P ρ	P ρ	P ρ	P ρ	P ρ	P ρ	P ρ	P ρ
P ρ	P ρ	P ρ	P ρ	P ρ	P ρ	P ρ	P ρ	P ρ	P ρ
P ρ	P ρ	P ρ	P ρ	P ρ	P ρ	P ρ	P ρ	P ρ	P ρ
P ρ	P ρ	P ρ	P ρ	P ρ	P ρ	P ρ	P ρ	P ρ	P ρ
P ρ	P ρ	P ρ	P ρ	P ρ	P ρ	P ρ	P ρ	P ρ	P ρ
P ρ	P ρ	P ρ	P ρ	P ρ	P ρ	P ρ	P ρ	P ρ	P ρ
P ρ	P ρ	P ρ	P ρ	P ρ	P ρ	P ρ	P ρ	P ρ	P ρ
P ρ	P ρ	P ρ	P ρ	P ρ	P ρ	P ρ	P ρ	P ρ	P ρ
P ρ	P ρ	P ρ	P ρ	P ρ	P ρ	P ρ	P ρ	P ρ	P ρ
P ρ	P ρ	P ρ	P ρ	P ρ	P ρ	P ρ	P ρ	P ρ	P ρ
P ρ	P ρ	P ρ	P ρ	P ρ	P ρ	P ρ	P ρ	P ρ	P ρ

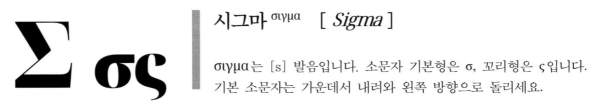

Σ σς

시그마 σιγμα [*Sigma*]

σιγμα는 [s] 발음입니다. 소문자 기본형은 σ, 꼬리형은 ς입니다.
기본 소문자는 가운데서 내려와 왼쪽 방향으로 돌리세요.

※꼭 입으로 '시그마'라고 불러가며 따라쓰세요.

Σ σς	Σ σς	Σ σς	Σ σς	Σ σς	Σ σς	Σ σς	Σ σς	Σ σς	Σ σς
Σ σς	Σ σς	Σ σς	Σ σς	Σ σς	Σ σς	Σ σς	Σ σς	Σ σς	Σ σς
Σ σς	Σ σς	Σ σς	Σ σς	Σ σς	Σ σς	Σ σς	Σ σς	Σ σς	Σ σς
Σ σς	Σ σς	Σ σς	Σ σς	Σ σς	Σ σς	Σ σς	Σ σς	Σ σς	Σ σς
Σ σς	Σ σς	Σ σς	Σ σς	Σ σς	Σ σς	Σ σς	Σ σς	Σ σς	Σ σς
Σ σς	Σ σς	Σ σς	Σ σς	Σ σς	Σ σς	Σ σς	Σ σς	Σ σς	Σ σς
Σ σς	Σ σς	Σ σς	Σ σς	Σ σς	Σ σς	Σ σς	Σ σς	Σ σς	Σ σς
Σ σς	Σ σς	Σ σς	Σ σς	Σ σς	Σ σς	Σ σς	Σ σς	Σ σς	Σ σς
Σ σς	Σ σς	Σ σς	Σ σς	Σ σς	Σ σς	Σ σς	Σ σς	Σ σς	ς σς
Σ σς	Σ σς	Σ σς	Σ σς	Σ σς	Σ σς	Σ σς	Σ σς	Σ σς	Σ σς
Σ σς	Σ σς	Σ σς	Σ σς	Σ σς	Σ σς	Σ σς	Σ σς	Σ σς	Σ σς
Σ σς	Σ σς	Σ σς	Σ σς	Σ σς	Σ σς	Σ σς	Σ σς	Σ σς	Σ σς

T τ

타우 ταυ [*Tau*]

ταυ 는 [t] 발음입니다. 영문자 T 와 모양 또한 흡사합니다.
소문자를 쓸 때는 꼬리를 조금 날려주세요.

※꼭 입으로 '따우'라고 불러가며 따라쓰세요.

Υ υ

웁실론 ^{υφιλον} [*üpsilon*]

υφιλον 은 [ü, y] 발음입니다. μ 나 ν 처럼 움라우트 발음입니다.
소문자를 쓸 때는 영문자 u 와 비슷하게 씁니다.

※꼭 입으로 '웁실론'이라고 불러가며 따라쓰세요.

Υ υ	Υ υ	Υ υ	Υ υ	Υ υ	Υ υ	Υ υ	Υ υ	Υ υ	Υ υ
Υ υ	Υ υ	Υ υ	Υ υ	Υ υ	Υ υ	Υ υ	Υ υ	Υ υ	Υ υ
Υ υ	Υ υ	Υ υ	Υ υ	Υ υ	Υ υ	Υ υ	Υ υ	Υ υ	Υ υ
Υ υ	Υ υ	Υ υ	Υ υ	Υ υ	Υ υ	Υ υ	Υ υ	Υ υ	Υ υ
Υ υ	Υ υ	Υ υ	Υ υ	Υ υ	Υ υ	Υ υ	Υ υ	Υ υ	Υ υ
Υ υ	Υ υ	Υ υ	Υ υ	Υ υ	Υ υ	Υ υ	Υ υ	Υ υ	Υ υ
Υ υ	Υ υ	Υ υ	Υ υ	Υ υ	Υ υ	Υ υ	Υ υ	Υ υ	Υ υ
Υ υ	Υ υ	Υ υ	Υ υ	Υ υ	Υ υ	Υ υ	Υ υ	Υ υ	Υ υ
Υ υ	Υ υ	Υ υ	Υ υ	Υ υ	Υ υ	Υ υ	Υ υ	Υ υ	Υ υ
Υ υ	Υ υ	Υ υ	Υ υ	Υ υ	Υ υ	Υ υ	Υ υ	Υ υ	Υ υ
Υ υ	Υ υ	Υ υ	Υ υ	Υ υ	Υ υ	Υ υ	Υ υ	Υ υ	Υ υ
Υ υ	Υ υ	Υ υ	Υ υ	Υ υ	Υ υ	Υ υ	Υ υ	Υ υ	Υ υ

Φ φ

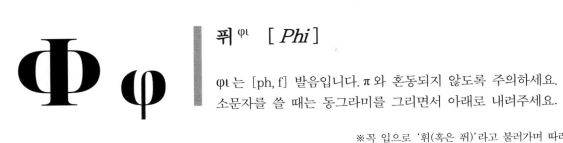

퓌 φι [*Phi*]

φι 는 [ph, f] 발음입니다. π 와 혼동되지 않도록 주의하세요.
소문자를 쓸 때는 동그라미를 그리면서 아래로 내려주세요.

※꼭 입으로 '휘(혹은 퓌)'라고 불러가며 따라쓰세요.

X χ

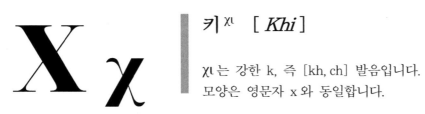

키 χι [*Khi*]

χι 는 강한 k, 즉 [kh, ch] 발음입니다.
모양은 영문자 x 와 동일합니다.

※꼭 입으로 '키[khi]'라고 불러가며 따라쓰세요.

Χ χ	Χ χ	Χ χ	Χ χ	Χ χ	Χ χ	Χ χ	Χ χ	Χ χ	Χ χ
Χ χ	Χ χ	Χ χ	Χ χ	Χ χ	Χ χ	Χ χ	Χ χ	Χ χ	Χ χ
Χ χ	Χ χ	Χ χ	Χ χ	Χ χ	Χ χ	Χ χ	Χ χ	Χ χ	Χ χ
Χ χ	Χ χ	Χ χ	Χ χ	Χ χ	Χ χ	Χ χ	Χ χ	Χ χ	Χ χ
Χ χ	Χ χ	Χ χ	Χ χ	Χ χ	Χ χ	Χ χ	Χ χ	Χ χ	Χ χ
Χ χ	Χ χ	Χ χ	Χ χ	Χ χ	Χ χ	Χ χ	Χ χ	Χ χ	Χ χ
Χ χ	Χ χ	Χ χ	Χ χ	Χ χ	Χ χ	Χ χ	Χ χ	Χ χ	Χ χ
Χ χ	Χ χ	Χ χ	Χ χ	Χ χ	Χ χ	Χ χ	Χ χ	Χ χ	Χ χ
Χ χ	Χ χ	Χ χ	Χ χ	Χ χ	Χ χ	Χ χ	Χ χ	Χ χ	Χ χ
Χ χ	Χ χ	Χ χ	Χ χ	Χ χ	Χ χ	Χ χ	Χ χ	Χ χ	Χ χ
Χ χ	Χ χ	Χ χ	Χ χ	Χ χ	Χ χ	Χ χ	Χ χ	Χ χ	Χ χ
Χ χ	Χ χ	Χ χ	Χ χ	Χ χ	Χ χ	Χ χ	Χ χ	Χ χ	Χ χ

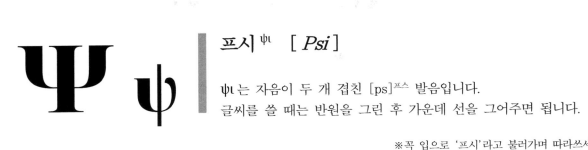

프시 ψι [*Psi*]

ψι 는 자음이 두 개 겹친 [ps]프스 발음입니다.
글씨를 쓸 때는 반원을 그린 후 가운데 선을 그어주면 됩니다.

※꼭 입으로 '프시'라고 불러가며 따라쓰세요.

Ω ω

오메가 ὡμεγα [*Omega*]

ὡμεγα 는 장모음 [o:] 발음입니다.
소문자를 쓸 때는 영문자 w 를 둥글게 쓰면 됩니다.

※꼭 입으로 '오메가'라고 불러가며 따라쓰세요.

Ω ω	Ω ω	Ω ω	Ω ω	Ω ω	Ω ω	Ω ω	Ω ω	Ω ω	Ω ω
Ω ω	Ω ω	Ω ω	Ω ω	Ω ω	Ω ω	Ω ω	Ω ω	Ω ω	Ω ω
Ω ω	Ω ω	Ω ω	Ω ω	Ω ω	Ω ω	Ω ω	Ω ω	Ω ω	Ω ω
Ω ω	Ω ω	Ω ω	Ω ω	Ω ω	Ω ω	Ω ω	Ω ω	Ω ω	Ω ω
Ω ω	Ω ω	Ω ω	Ω ω	Ω ω	Ω ω	Ω ω	Ω ω	Ω ω	Ω ω
Ω ω	Ω ω	Ω ω	Ω ω	Ω ω	Ω ω	Ω ω	Ω ω	Ω ω	Ω ω
Ω ω	Ω ω	Ω ω	Ω ω	Ω ω	Ω ω	Ω ω	Ω ω	Ω ω	Ω ω
Ω ω	Ω ω	Ω ω	Ω ω	Ω ω	Ω ω	Ω ω	Ω ω	Ω ω	Ω ω
Ω ω	Ω ω	Ω ω	Ω ω	Ω ω	Ω ω	Ω ω	Ω ω	Ω ω	Ω ω
Ω ω	Ω ω	Ω ω	Ω ω	Ω ω	Ω ω	Ω ω	Ω ω	Ω ω	Ω ω
Ω ω	Ω ω	Ω ω	Ω ω	Ω ω	Ω ω	Ω ω	Ω ω	Ω ω	Ω ω
Ω ω	Ω ω	Ω ω	Ω ω	Ω ω	Ω ω	Ω ω	Ω ω	Ω ω	Ω ω

2. 한꺼번에 따라쓰기

※주의

꼭 입으로 소리 내어 읽으면서 따라 쓰세요.

한 글자 한 글자를 따라 쓰다 보니 이제 알파벳이 조금 익숙해지나요? 물론 헬라어는 그 모습이나 발음에서 영어와 비슷한 부분이 많다 보니 히브리어보다는 접근성이 좋을 수 있습니다. 이제부터는 전체적으로 한 번 써보도록 하겠습니다. 꼭! 입으로 읽으면서 쓰셔야 합니다.

우선 한글 발음으로 따라하며 적어보세요. '한꺼번에 따라쓰기'는 살짝 이탤릭체로 써보겠습니다.
Σ(시그마) 소문자는 기본형과 꼬리형도 있다는 것을 잘 기억하세요.

Α α	Β β	Γ γ	Δ δ	Ε ε	Ζ ζ	Η η	Θ θ	Ι ι	Κ κ	Λ λ	Μ μ
알파	베타	감마	델타	엡실론	제타	에타	테타	이오타	캅파	람다	뮈
Ν ν	Ξ ξ	Ο ο	Π π	Ρ ρ	Σ σς	Τ τ	Υ υ	Φ φ	Χ χ	Ψ ψ	Ω ω
뉘	크시	오미크론	피	로	시그마	타우	윕실론	퓌	키	프시	오메가
Α α	*Β β*	*Γ γ*	*Δ δ*	*Ε ε*	*Ζ ζ*	*Η η*	*Θ θ*	*Ι ι*	*Κ κ*	*Λ λ*	*Μ μ*
Ν ν	*Ξ ξ*	*Ο ο*	*Π π*	*Ρ ρ*	*Σ σς*	*Τ τ*	*Υ υ*	*Φ φ*	*Χ χ*	*Ψ ψ*	*Ω ω*
Α α	*Β β*	*Γ γ*	*Δ δ*	*Ε ε*	*Ζ ζ*	*Η η*	*Θ θ*	*Ι ι*	*Κ κ*	*Λ λ*	*Μ μ*
Ν ν	*Ξ ξ*	*Ο ο*	*Π π*	*Ρ ρ*	*Σ σς*	*Τ τ*	*Υ υ*	*Φ φ*	*Χ χ*	*Ψ ψ*	*Ω ω*
Α α	*Β β*	*Γ γ*	*Δ δ*	*Ε ε*	*Ζ ζ*	*Η η*	*Θ θ*	*Ι ι*	*Κ κ*	*Λ λ*	*Μ μ*
Ν ν	*Ξ ξ*	*Ο ο*	*Π π*	*Ρ ρ*	*Σ σς*	*Τ τ*	*Υ υ*	*Φ φ*	*Χ χ*	*Ψ ψ*	*Ω ω*
Α α	*Β β*	*Γ γ*	*Δ δ*	*Ε ε*	*Ζ ζ*	*Η η*	*Θ θ*	*Ι ι*	*Κ κ*	*Λ λ*	*Μ μ*
Ν ν	*Ξ ξ*	*Ο ο*	*Π π*	*Ρ ρ*	*Σ σς*	*Τ τ*	*Υ υ*	*Φ φ*	*Χ χ*	*Ψ ψ*	*Ω ω*
Α α	*Β β*	*Γ γ*	*Δ δ*	*Ε ε*	*Ζ ζ*	*Η η*	*Θ θ*	*Ι ι*	*Κ κ*	*Λ λ*	*Μ μ*
Ν ν	*Ξ ξ*	*Ο ο*	*Π π*	*Ρ ρ*	*Σ σς*	*Τ τ*	*Υ υ*	*Φ φ*	*Χ χ*	*Ψ ψ*	*Ω ω*
Α α	*Β β*	*Γ γ*	*Δ δ*	*Ε ε*	*Ζ ζ*	*Η η*	*Θ θ*	*Ι ι*	*Κ κ*	*Λ λ*	*Μ μ*
Ν ν	*Ξ ξ*	*Ο ο*	*Π π*	*Ρ ρ*	*Σ σς*	*Τ τ*	*Υ υ*	*Φ φ*	*Χ χ*	*Ψ ψ*	*Ω ω*

A α	B β	Γ γ	Δ δ	E ε	Z ζ	H η	Θ θ	I ι	K κ	Λ λ	M μ
N ν	Ξ ξ	O o	Π π	P ρ	Σ σ ς	T τ	Y υ	Φ φ	X χ	Ψ ψ	Ω ω
A α	B β	Γ γ	Δ δ	E ε	Z ζ	H η	Θ θ	I ι	K κ	Λ λ	M μ
N ν	Ξ ξ	O o	Π π	P ρ	Σ σ ς	T τ	Y υ	Φ φ	X χ	Ψ ψ	Ω ω

한글발음이 익숙해졌다면, 이번에는 영문 발음기호로 읽으며 따라해 보세요.

특히 한국어에 없는 모음 발음이 들어간 μ 나 ν, υ 같은 [ü]^{움라우트}발음과

한국어에 없는 자음 발음이 들어간 ζ[zeta], θ[theta], ρ[rho]나 φ[phi] 같은 글자의 발음에 주의하세요.

Α α	Β β	Γ γ	Δ δ	Ε ε	Ζ ζ	Η η	Θ θ	Ι ι	Κ κ	Λ λ	Μ μ
Alpha	Beta	Gamma	Delta	Epsilon	Zeta	Eta	Theta	Iota	Kappa	Lambda	Mü

Ν ν	Ξ ξ	Ο ο	Π π	Ρ ρ	Σ σς	Τ τ	Υ υ	Φ φ	Χ χ	Ψ ψ	Ω ω
Nü	Xi	Omicron	Pi	Rho	Sigma	Tau	Üpsilon	Phi	Khi	Psi	Omega

Α α	Β β	Γ γ	Δ δ	Ε ε	Ζ ζ	Η η	Θ θ	Ι ι	Κ κ	Λ λ	Μ μ
Ν ν	Ξ ξ	Ο ο	Π π	Ρ ρ	Σ σς	Τ τ	Υ υ	Φ φ	Χ χ	Ψ ψ	Ω ω
Α α	Β β	Γ γ	Δ δ	Ε ε	Ζ ζ	Η η	Θ θ	Ι ι	Κ κ	Λ λ	Μ μ
Ν ν	Ξ ξ	Ο ο	Π π	Ρ ρ	Σ σς	Τ τ	Υ υ	Φ φ	Χ χ	Ψ ψ	Ω ω
Α α	Β β	Γ γ	Δ δ	Ε ε	Ζ ζ	Η η	Θ θ	Ι ι	Κ κ	Λ λ	Μ μ
Ν ν	Ξ ξ	Ο ο	Π π	Ρ ρ	Σ σς	Τ τ	Υ υ	Φ φ	Χ χ	Ψ ψ	Ω ω
Α α	Β β	Γ γ	Δ δ	Ε ε	Ζ ζ	Η η	Θ θ	Ι ι	Κ κ	Λ λ	Μ μ
Ν ν	Ξ ξ	Ο ο	Π π	Ρ ρ	Σ σς	Τ τ	Υ υ	Φ φ	Χ χ	Ψ ψ	Ω ω
Α α	Β β	Γ γ	Δ δ	Ε ε	Ζ ζ	Η η	Θ θ	Ι ι	Κ κ	Λ λ	Μ μ
Ν ν	Ξ ξ	Ο ο	Π π	Ρ ρ	Σ σς	Τ τ	Υ υ	Φ φ	Χ χ	Ψ ψ	Ω ω
Α α	Β β	Γ γ	Δ δ	Ε ε	Ζ ζ	Η η	Θ θ	Ι ι	Κ κ	Λ λ	Μ μ
Ν ν	Ξ ξ	Ο ο	Π π	Ρ ρ	Σ σς	Τ τ	Υ υ	Φ φ	Χ χ	Ψ ψ	Ω ω
Α α	Β β	Γ γ	Δ δ	Ε ε	Ζ ζ	Η η	Θ θ	Ι ι	Κ κ	Λ λ	Μ μ
Ν ν	Ξ ξ	Ο ο	Π π	Ρ ρ	Σ σς	Τ τ	Υ υ	Φ φ	Χ χ	Ψ ψ	Ω ω

A α	B β	Γ γ	Δ δ	E ε	Z ζ	H η	Θ θ	I ι	K κ	Λ λ	M μ
N ν	Ξ ξ	O o	Π π	P ρ	Σ σς	T τ	Y υ	Φ φ	X χ	Ψ ψ	Ω ω
A α	B β	Γ γ	Δ δ	E ε	Z ζ	H η	Θ θ	I ι	K κ	Λ λ	M μ
N ν	Ξ ξ	O o	Π π	P ρ	Σ σς	T τ	Y υ	Φ φ	X χ	Ψ ψ	Ω ω

이제는 천천히 헬라어 발음으로 따라 읽으며 써볼까요.

단, 빨리 쓴다고 좋은 것이 아닙니다.

글자 이름을 눈으로 잘 익혀가며 한 글자씩 천천히 음미하듯이 써보세요.

Α α	Β β	Γ γ	Δ δ	Ε ε	Ζ ζ	Η η	Θ θ	Ι ι	Κ κ	Λ λ	Μ μ
ἀλφα	βητα	γαμμα	δελτα	ἐψιλον	ζητα	ἠτα	θητα	ἰοτα	καππα	λαμβδα	μυ

Ν ν	Ξ ξ	Ο ο	Π π	Ρ ρ	Σ σς	Τ τ	Υ υ	Φ φ	Χ χ	Ψ ψ	Ω ω
Νυ	ξι	ὀμικρον	πι	ῥω	σιγμα	ταυ	ὑψιλον	φι	χι	ψι	ὠμεγα

Α α	Β β	Γ γ	Δ δ	Ε ε	Ζ ζ	Η η	Θ θ	Ι ι	Κ κ	Λ λ	Μ μ
Ν ν	Ξ ξ	Ο ο	Π π	Ρ ρ	Σ σς	Τ τ	Υ υ	Φ φ	Χ χ	Ψ ψ	Ω ω
Α α	Β β	Γ γ	Δ δ	Ε ε	Ζ ζ	Η η	Θ θ	Ι ι	Κ κ	Λ λ	Μ μ
Ν ν	Ξ ξ	Ο ο	Π π	Ρ ρ	Σ σς	Τ τ	Υ υ	Φ φ	Χ χ	Ψ ψ	Ω ω
Α α	Β β	Γ γ	Δ δ	Ε ε	Ζ ζ	Η η	Θ θ	Ι ι	Κ κ	Λ λ	Μ μ
Ν ν	Ξ ξ	Ο ο	Π π	Ρ ρ	Σ σς	Τ τ	Υ υ	Φ φ	Χ χ	Ψ ψ	Ω ω
Α α	Β β	Γ γ	Δ δ	Ε ε	Ζ ζ	Η η	Θ θ	Ι ι	Κ κ	Λ λ	Μ μ
Ν ν	Ξ ξ	Ο ο	Π π	Ρ ρ	Σ σς	Τ τ	Υ υ	Φ φ	Χ χ	Ψ ψ	Ω ω
Α α	Β β	Γ γ	Δ δ	Ε ε	Ζ ζ	Η η	Θ θ	Ι ι	Κ κ	Λ λ	Μ μ
Ν ν	Ξ ξ	Ο ο	Π π	Ρ ρ	Σ σς	Τ τ	Υ υ	Φ φ	Χ χ	Ψ ψ	Ω ω
Α α	Β β	Γ γ	Δ δ	Ε ε	Ζ ζ	Η η	Θ θ	Ι ι	Κ κ	Λ λ	Μ μ
Ν ν	Ξ ξ	Ο ο	Π π	Ρ ρ	Σ σς	Τ τ	Υ υ	Φ φ	Χ χ	Ψ ψ	Ω ω

A α	B β	Γ γ	Δ δ	E ε	Z ζ	H η	Θ θ	I ι	K κ	Λ λ	M μ
N ν	Ξ ξ	O o	Π π	P ρ	Σ σς	T τ	Y υ	Φ φ	X χ	Ψ ψ	Ω ω
A α	B β	Γ γ	Δ δ	E ε	Z ζ	H η	Θ θ	I ι	K κ	Λ λ	M μ
N ν	Ξ ξ	O o	Π π	P ρ	Σ σς	T τ	Y υ	Φ φ	X χ	Ψ ψ	Ω ω

한 번 더 써볼까요? 이번에도 역시 입으로 읽으며 써야 됩니다.

A α	B β	Γ γ	Δ δ	E ε	Z ζ	H η	Θ θ	I ι	K κ	Λ λ	M μ
ἄλφα	βῆτα	γάμμα	δέλτα	ἐψιλον	ζῆτα	ἦτα	θῆτα	ἰῶτα	κάππα	λάμβδα	μυ
N ν	Ξ ξ	O o	Π π	P ρ	Σ σ ς	T τ	Y υ	Φ φ	X χ	Ψ ψ	Ω ω
νυ	ξι	ὂμικρον	πι	ῥῶ	σιγμα	ταυ	ὐψιλον	φι	χι	ψι	ὠμεγα

혹시 이름이 기억 안나는 알파벳은 없나요? 이름이 헬라어로 적혀 있어도 이젠 익숙해지죠?

만약 이름이 기억 안 난다면 앞으로 돌아가서 다시 확인하고 오세요.

가장 중요한 부분이 바로 '알파벳의 이름을 불러가며 쓰는 것'입니다.

Α α	Β β	Γ γ	Δ δ	Ε ε	Ζ ζ	Η η	Θ θ	Ι ι	Κ κ	Λ λ	Μ μ
ἄλφα	βητα	γαμμα	δελτα	ἐψιλον	ζητα	ἤτα	θητα	ἰοτα	καππα	λαμβδα	Μυ
Ν ν	Ξ ξ	Ο ο	Π π	Ρ ρ	Σ σς	Τ τ	Υ υ	Φ φ	Χ χ	Ψ ψ	Ω ω
νυ	ξι	ὀμικρον	πι	ῥω	σιγμα	ταυ	ὑψιλον	φι	χι	ψι	ὠμεγα

A α	B β	Γ γ	Δ δ	E ε	Z ζ	H η	Θ θ	I ι	K κ	Λ λ	M μ
N ν	Ξ ξ	O o	Π π	P ρ	Σ σς	T τ	Y υ	Φ φ	X χ	Ψ ψ	Ω ω
A α	B β	Γ γ	Δ δ	E ε	Z ζ	H η	Θ θ	I ι	K κ	Λ λ	M μ
N ν	Ξ ξ	O o	Π π	P ρ	Σ σς	T τ	Y υ	Φ φ	X χ	Ψ ψ	Ω ω

이젠 알파벳의 이름들이 좀 익숙하죠?
헬라어는 영어와 모양이 비슷해서 외우기 쉬울 수 있지만, 반면에 헷갈릴 수도 있으니 주의하세요.

Αα	Ββ	Γγ	Δδ	Εε	Ζζ	Ηη	Θθ	Ιι	Κκ	Λλ	Μμ
ἄλφα	βῆτα	γάμμα	δέλτα	ἐψιλον	ζῆτα	ἦτα	θῆτα	ἰοτα	κάππα	λάμβδα	μυ

Νν	Ξξ	Οο	Ππ	Ρρ	Σσς	Ττ	Υυ	Φφ	Χχ	Ψψ	Ωω
νυ	ξι	ὀμικρον	πι	ῥω	σίγμα	ταυ	ὑψιλον	φι	χι	ψι	ὠμεγα

Αα	Ββ	Γγ	Δδ	Εε	Ζζ	Ηη	Θθ	Ιι	Κκ	Λλ	Μμ
Νν	Ξξ	Οο	Ππ	Ρρ	Σσς	Ττ	Υυ	Φφ	Χχ	Ψψ	Ωω
Αα	Ββ	Γγ	Δδ	Εε	Ζζ	Ηη	Θθ	Ιι	Κκ	Λλ	Μμ
Νν	Ξξ	Οο	Ππ	Ρρ	Σσς	Ττ	Υυ	Φφ	Χχ	Ψψ	Ωω
Αα	Ββ	Γγ	Δδ	Εε	Ζζ	Ηη	Θθ	Ιι	Κκ	Λλ	Μμ
Νν	Ξξ	Οο	Ππ	Ρρ	Σσς	Ττ	Υυ	Φφ	Χχ	Ψψ	Ωω

자, 이제 테스트를 한 번 해볼까요?
지금까지는 따라 적었지만, 이번에는 알파벳 이름만 보고 빈 칸을 채워보세요.

ἄλφα	βῆτα	γάμμα	δέλτα	ἒψιλον	ζῆτα	ἦτα	θῆτα	ἰῶτα	κάππα	λάμβδα	μῦ
νῦ	ξῖ	ὂμικρον	πῖ	ῥῶ	σίγμα	ταῦ	ὒψιλον	φῖ	χῖ	ψῖ	ὦμεγα

이 테스트를 무난히 통과하셨다면, 여러분은 겨우 200 번을 쓰고 알파벳을 모두 외우신 겁니다.
최단기간에 알파벳을 전부 외울 수 있었습니다.

통과하지 못하셨거나 더 해보고 싶은 분들은 아래 QR 코드를 통해 '헬라어 따라쓰기 노트'를 다운받아 인쇄해서 사용하시면 됩니다. 물론 노트를 사용하시더라도 꼭 입으로 알파벳 이름을 불러가며 따라 써야 가장 효과가 좋습니다. 그리고 다 외우선 분들도 더 많이 써 보시길 권합니다. 어떤 글씨든 마찬가지겠지만, 헬라어 알파벳도 많이 쓰면 쓸수록 글씨가 더 예뻐진다는 것을 명심하세요.

헬라어 알파벳 따라쓰기 용지 바로가기 (인쇄용)
https://blog.naver.com/skidsy/223053257465

제 2 장 헬라어 모음 vowel

헬라어 모음 vowel

구분 \ 계열	|아| 계열	|에| 계열	|이| 계열	|오| 계열	|우| 계열
단모음	α	ε	ι	ο	υ
장모음	α	η	ι	ω	υ
ι 이오타 하기	ᾳ	ῃ		ῳ	
그 외 이중모음	αι αυ [아이] [아우]	ει ευ [에이] [유]		οι ου [오이] [우]	υι [위]

위 표를 보면 알 수 있듯이 전혀 어려울 것이 없습니다. '아, 에, 이, 오, 우'만 잘 외우고 있으면 됩니다.

조금 구체적으로 설명하자면,

첫째로 'ι 이오타 下記하기 모음'도 ι 이오타와 상관없이 '아, 에, 오'라는 것만 기억 하시면 됩니다.

둘째로 α, ι, υ 는 장모음으로도 쓰이고 단모음으로도 쓰이는데, 대부분은 단모음으로 쓰입니다.

셋째로 ε, ο 는 단모음에만 쓰이며, η, ω 는 장모음에만 쓰입니다.

마지막으로, ευ 는 [유]발음, ου 는 [우]발음, υι 는 [위]발음이라는 것만 주의해서 기억하시면 됩니다.

약숨표 smooth breathing	ἀ[아]	ἐ[에]	ἰ[이]	ὀ[오]	ὐ[우]	ἠ[에]	ὠ[오]
강숨표 rough breathing	ἁ[하]	ἑ[헤]	ἱ[히]	ὁ[호]	ὑ[후]	ἡ[헤]	ὡ[호]

■ 꼭 기억해야 하는 **'숨표'** breathings ᾿ ῾

헬라어 모음에서 정말 중요한 것 한 가지가 더 있습니다. 바로 숨표 breathings 입니다. 숨표에는 '강숨표' rough breathing 와 '약숨표' smooth breathing 가 있습니다. 일반적으로는 약숨표가 주로 사용되지만, 종종 강숨표가 붙은 단어들이 등장합니다. 약숨표가 붙은 단어는 원래 음가 그대로 읽어주면 되지만, 강숨표가 붙은 단어는 'ㅎ'[h] 발음을 넣어서 이름 그대로 '거칠게' rough 읽어줍니다. 이중모음에서 숨표는 뒷 글자에 붙으며, 약숨표와 강숨표는 마치 데칼코마니처럼 모양은 같지만 반대 방향입니다. 가령 '날' day 을 의미하는 ἡμέρα라는 단어는 '에메라'가 아니라 '헤메라'로 읽습니다. 작은 따옴표처럼 생긴 저 숨표를 잘 체크해야 합니다.

헬라어 모음 vowel, 특히 숨표에 주의해서 따라 쓰며 읽어볼까요? 우선 익숙한 이름들로 발음을 연습하며 따라 써봅시다. 단, 세로 방향으로 쓰지 마시고, 지금까지 하셨던 것처럼 가로 방향으로 쓰셔야 합니다. 처음 연습이니 액센트 없이 해보죠. 가장 중요한 것은? 네, 꼭 입으로 따라 읽으며 쓰셔야 합니다.

Ἰησοῦς [이에수스] 예수	Χριστός [크리스또스] 그리스도	Δαβίδ [다비드] 다윗	Ἀβραάμ [아브라암] 아브라함	Ἰσαάκ [이사아크] 이삭	Ἰακώβ [이아꼬브] 야곱	Σολομῶν [솔로몬] 솔로몬
Ἰησους	Χριστος	Δαβίδ	Ἀβρααμ	Ἰσαακ	Ἰακωβ	Σολομων
Ἰησους	Χριστος	Δαβίδ	Ἀβρααμ	Ἰσαακ	Ἰακωβ	Σολομων
Ἰησους	Χριστος	Δαβίδ	Ἀβρααμ	Ἰσαακ	Ἰακωβ	Σολομων
Ἰησους	Χριστος	Δαβίδ	Ἀβρααμ	Ἰσαακ	Ἰακωβ	Σολομων
Ἰησους	Χριστος	Δαβίδ	Ἀβρααμ	Ἰσαακ	Ἰακωβ	Σολομων
Ἰησους	Χριστος	Δαβίδ	Ἀβρααμ	Ἰσαακ	Ἰακωβ	Σολομων
Ἰησους	Χριστος	Δαβίδ	Ἀβρααμ	Ἰσαακ	Ἰακωβ	Σολομων
Ἰησους	Χριστος	Δαβίδ	Ἀβρααμ	Ἰσαακ	Ἰακωβ	Σολομων
Ἰησους	Χριστος	Δαβίδ	Ἀβρααμ	Ἰσαακ	Ἰακωβ	Σολομων
Ἰησους	Χριστος	Δαβίδ	Ἀβρααμ	Ἰσαακ	Ἰακωβ	Σολομων

계속 입으로 발음하면서 써야 하는 거 잊지 않으셨죠?

Ἰωσήφ [이오세프] 요셉	γένεσις [게네시스] 기원, 탄생	μήτηρ [메떼르] 어머니	Μαρία [마리아] 마리아	πνεῦμα [쁘뉴마] 숨, 호흡	ἅγιος * [하기오스] 거룩한	δίκαιος [디까이오스] 의로운, 옳은
Ἰωσήφ	γενεσις	μητηρ	Μαρία	πνευμα	ἁγιος	δίκαιος
Ἰωσήφ	γενεσις	μητηρ	Μαρία	πνευμα	ἁγιος	δίκαιος
Ἰωσήφ	γενεσις	μητηρ	Μαρία	πνευμα	ἁγιος	δίκαιος
Ἰωσήφ	γενεσις	μητηρ	Μαρία	πνευμα	ἁγιος	δίκαιος
Ἰωσήφ	γενεσις	μητηρ	Μαρία	πνευμα	ἁγιος	δίκαιος
Ἰωσήφ	γενεσις	μητηρ	Μαρία	πνευμα	ἁγιος	δίκαιος
Ἰωσήφ	γενεσις	μητηρ	Μαρία	πνευμα	ἁγιος	δίκαιος
Ἰωσήφ	γενεσις	μητηρ	Μαρία	πνευμα	ἁγιος	δίκαιος
Ἰωσήφ	γενεσις	μητηρ	Μαρία	πνευμα	ἁγιος	δίκαιος
Ἰωσήφ	γενεσις	μητηρ	Μαρία	πνευμα	ἁγιος	δίκαιος

특별한 단어가 하나 등장했습니다. γ 감마가 두 개 연속으로 오면 'ㄱ ㄱ'이 'ㅇ ㅇ'으로 바뀝니다. 무슨 말인고 하니 ἄγγελος 는 [악겔로스]가 아니라 [앙겔로스]가 됩니다. 이는 γγ 뿐 아니라 γκ, γχ 역시 같은 변화가 있습니다. 다음 페이지에서 또 소개해 드리겠습니다. 일단 주의하세요.

ἄγγελος [앙겔로스] 천사	κύριος [뀌리오스] 주님	ὄναρ [오나르] 꿈	υἱός * [휘오스] 아들	προφήτης [쁘로훼떼스] 선지자	βασιλεύς [바실류스] 왕	λέγω [레고] 말하다
ἄγγελος	κυριος	ὄναρ	υἱός	προφητης	βασιλεύς	λεγω
ἄγγελος	κυριος	ὄναρ	υἱός	προφητης	βασιλεύς	λεγω
ἄγγελος	κυριος	ὄναρ	υἱός	προφητης	βασιλεύς	λεγω
ἄγγελος	κυριος	ὄναρ	υἱός	προφητης	βασιλεύς	λεγω
ἄγγελος	κυριος	ὄναρ	υἱός	προφητης	βασιλεύς	λεγω
ἄγγελος	κυριος	ὄναρ	υἱός	προφητης	βασιλεύς	λεγω
ἄγγελος	κυριος	ὄναρ	υἱός	προφητης	βασιλεύς	λεγω
ἄγγελος	κυριος	ὄναρ	υἱός	προφητης	βασιλεύς	λεγω
ἄγγελος	κυριος	ὄναρ	υἱός	προφητης	βασιλεύς	λεγω
ἄγγελος	κυριος	ὄναρ	υἱός	προφητης	βασιλεύς	λεγω

특별한 단어가 또 등장했습니다. 지난 페이지에서 언급했던 발음입니다. γ ^{감마}는 특정 자음과 연결될 때 'ㅇ'으로 바뀝니다. 이는 γγ 뿐 아니라 γκ, γχ 역시 같은 변화가 있습니다. 발음이 어렵기 때문에 생겨난 자연스러운 변화 같습니다. 가령 ἄγγελος 는 [악겔로스]가 아니라 [앙겔로스]가 되는 것처럼 [엑끄리노]가 아니라 [엥끄리노], [엘렉코스]가 아니라 [엘렝코스]가 됩니다.

ἐγκρίνω [엥끄리노] 승인하다	ἔλεγχος [엘렝코스] 제어	ἐπαγγέλλω [에팡겔로] 약속하다	Βηθλεέμ [베쓸레엠] 베들레헴	γῆ [게] 땅, 흙, 지면	ἡγεμών [헤게몬] 통치자	χρόνος [크로노스] 시간, 때
ἐγκρίνω	ἔλεγχος	ἐπαγγέλλω	Βηθλεεμ	γη	ἡγεμων	χρονος
ἐγκρίνω	ἔλεγχος	ἐπαγγέλλω	Βηθλεεμ	γη	ἡγεμων	χρονος
ἐγκρίνω	ἔλεγχος	ἐπαγγέλλω	Βηθλεεμ	γη	ἡγεμων	χρονος
ἐγκρίνω	ἔλεγχος	ἐπαγγέλλω	Βηθλεεμ	γη	ἡγεμων	χρονος
ἐγκρίνω	ἔλεγχος	ἐπαγγέλλω	Βηθλεεμ	γη	ἡγεμων	χρονος
ἐγκρίνω	ἔλεγχος	ἐπαγγέλλω	Βηθλεεμ	γη	ἡγεμων	χρονος
ἐγκρίνω	ἔλεγχος	ἐπαγγέλλω	Βηθλεεμ	γη	ἡγεμων	χρονος
ἐγκρίνω	ἔλεγχος	ἐπαγγέλλω	Βηθλεεμ	γη	ἡγεμων	χρονος
ἐγκρίνω	ἔλεγχος	ἐπαγγέλλω	Βηθλεεμ	γη	ἡγεμων	χρονος
ἐγκρίνω	ἔλεγχος	ἐπαγγέλλω	Βηθλεεμ	γη	ἡγεμων	χρονος

입으로 따라하다 보면 영어와 발음이 비슷한 단어도 많다는 걸 알 수 있습니다.

παιδίον [빠이디온] 어린아기	ἀστήρ [아스떼르] 별	χαίρω [카이로] 기뻐하다	χαρά [카라] 기쁨	μέγας [메가스] 큰	προσκυνέω [쁘로스뀌네오] 예배하다	καί [까이] 그리고
παιδίον	ἀστήρ	χαίρω	χαρά	μέγας	προσκυνέω	καί
παιδίον	ἀστήρ	χαίρω	χαρά	μέγας	προσκυνέω	καί
παιδίον	ἀστήρ	χαίρω	χαρά	μέγας	προσκυνέω	καί
παιδίον	ἀστήρ	χαίρω	χαρά	μέγας	προσκυνέω	καί
παιδίον	ἀστήρ	χαίρω	χαρά	μέγας	προσκυνέω	καί
παιδίον	ἀστήρ	χαίρω	χαρά	μέγας	προσκυνέω	καί
παιδίον	ἀστήρ	χαίρω	χαρά	μέγας	προσκυνέω	καί
παιδίον	ἀστήρ	χαίρω	χαρά	μέγας	προσκυνέω	καί
παιδίον	ἀστήρ	χαίρω	χαρά	μέγας	προσκυνέω	καί
παιδίον	ἀστήρ	χαίρω	χαρά	μέγας	προσκυνέω	καί

이젠 악센트도 한 번씩 그려볼까요?
어떤 기능인지는 생각지 말고 숨표와 함께 그냥 그려 넣어 보세요. 물론 안 그려도 됩니다.

ἀρχή [아르케] 태초, 시작	λόγος [로고스] 말	θεός [떼오스] 하나님	γίνομαι [기노마이] 생겨나다	ζωή [조에] 생명	φῶς [포스] 빛	ἄνθρωπος [안뜨로뽀스] 사람
ἀρχή	λόγος	θεός	γίνομαι	ζωή	φῶς	ἄνθρωπος
ἀρχή	λόγος	θεός	γίνομαι	ζωή	φῶς	ἄνθρωπος
ἀρχή	λόγος	θεός	γίνομαι	ζωή	φῶς	ἄνθρωπος
ἀρχή	λόγος	θεός	γίνομαι	ζωή	φῶς	ἄνθρωπος
ἀρχή	λόγος	θεός	γίνομαι	ζωή	φῶς	ἄνθρωπος
ἀρχή	λόγος	θεός	γίνομαι	ζωή	φῶς	ἄνθρωπος
ἀρχή	λόγος	θεός	γίνομαι	ζωή	φῶς	ἄνθρωπος
ἀρχή	λόγος	θεός	γίνομαι	ζωή	φῶς	ἄνθρωπος
ἀρχή	λόγος	θεός	γίνομαι	ζωή	φῶς	ἄνθρωπος
ἀρχή	λόγος	θεός	γίνομαι	ζωή	φῶς	ἄνθρωπος

악센트도 사실 헬라어 성경 읽는 데는 별로 상관이 없습니다.

일단 알파벳만으로 읽을 줄 안다면, 악센트도 금방 익힐 수 있습니다.

χάρις [카리스] 은혜	εἰρήνη [에이레네] 은혜	θρόνος [뜨로노스] 왕좌	μάρτυς [마르투스] 증인, 증거	νεκρός [네끄로스] 죽은	λύω [뤼오] 풀다	αἷμα [하이마] 피
χάρις	εἰρήνη	θρόνος	μάρτυς	νεκρός	λύω	αἷμα
χάρις	εἰρήνη	θρόνος	μάρτυς	νεκρός	λύω	αἷμα
χάρις	εἰρήνη	θρόνος	μάρτυς	νεκρός	λύω	αἷμα
χάρις	εἰρήνη	θρόνος	μάρτυς	νεκρός	λύω	αἷμα
χάρις	εἰρήνη	θρόνος	μάρτυς	νεκρός	λύω	αἷμα
χάρις	εἰρήνη	θρόνος	μάρτυς	νεκρός	λύω	αἷμα
χάρις	εἰρήνη	θρόνος	μάρτυς	νεκρός	λύω	αἷμα
χάρις	εἰρήνη	θρόνος	μάρτυς	νεκρός	λύω	αἷμα
χάρις	εἰρήνη	θρόνος	μάρτυς	νεκρός	λύω	αἷμα
χάρις	εἰρήνη	θρόνος	μάρτυς	νεκρός	λύω	αἷμα

지금은 단어를 외우기 위한 단계가 아닙니다. 발음을 익히는 단계입니다.
발음에 신경을 쓰면서 소문자 시그마(σ/ς)의 모양이 어떻게 바뀌는지도 잘 보세요.

δοῦλος [둘로스] 노예	λόγος [로고스] 말	μακάριος [마카리오스] 복된	ἀκούω [아꾸오] 듣다	ἑπτά [헵따] 일곱	ἐκκλησία [에끌레시아] 교회, 모임	Ἀσία [아시아] 아시아
δοῦλος	λόγος	μακάριος	ἀκούω	ἑπτά	ἐκκλησία	Ἀσία
δοῦλος	λόγος	μακάριος	ἀκούω	ἑπτά	ἐκκλησία	Ἀσία
δοῦλος	λόγος	μακάριος	ἀκούω	ἑπτά	ἐκκλησία	Ἀσία
δοῦλος	λόγος	μακάριος	ἀκούω	ἑπτά	ἐκκλησία	Ἀσία
δοῦλος	λόγος	μακάριος	ἀκούω	ἑπτά	ἐκκλησία	Ἀσία
δοῦλος	λόγος	μακάριος	ἀκούω	ἑπτά	ἐκκλησία	Ἀσία
δοῦλος	λόγος	μακάριος	ἀκούω	ἑπτά	ἐκκλησία	Ἀσία
δοῦλος	λόγος	μακάριος	ἀκούω	ἑπτά	ἐκκλησία	Ἀσία
δοῦλος	λόγος	μακάριος	ἀκούω	ἑπτά	ἐκκλησία	Ἀσία
δοῦλος	λόγος	μακάριος	ἀκούω	ἑπτά	ἐκκλησία	Ἀσία

제 3 장 헬라어 문장학습

지금까지 헬라어 자음과 모음을 잘 따라오셨다면, 이제 실질적인 발음을 익힐 차례입니다. 적혀있는 대로 발음을 입으로 말하면서 문장을 따라 써보세요. 조금이라도 더 빨리 헬라어 읽기와 쓰기에 익숙해지고 싶다면, 꼭 입으로 말하면서 따라 쓰세요. 단, 한국어에 없는 [f] 발음이나 [r], [th], [ü] 발음에 주의하세요.

첫 번째 문장은 너무나도 유명한 요한복음 3장 16절입니다. 천천히 읽으면서 따라 써보세요.

οὕτως γὰρ ἠγάπησεν ὁ θεὸς τὸν κόσμον,					
후또스	가르	에가뻬센	호 떼오스	똔	꼬스몬
οὕτως γὰρ ἠγάπησεν ὁ θεὸς τὸν κόσμον,					
후또스	가르	에가뻬센	호 떼오스	똔	꼬스몬
후또스	가르	에가뻬센	호 떼오스	똔	꼬스몬

ὥστε τὸν υἱὸν τὸν μονογενῆ ἔδωκεν					
호스떼	똔	휘온	똔	모노게네	에도켄
ὥστε τὸν υἱὸν τὸν μονογενῆ ἔδωκεν					
호스떼	똔	휘온	똔	모노게네	에도켄
ὥστε τὸν υἱὸν τὸν μονογενῆ ἔδωκεν					
호스떼	똔	휘온	똔	모노게네	에도켄

ἵνα πᾶς ὁ πιστεύων εἰς αὐτὸν μὴ ἀπόληται ἀλλ' ἔχῃ ζωὴν αἰώνιον.											
히나	빠스	호	삐스뜌온	에이스	아우똔	메	아뿔레따이	알라	에케	조엔	아이오니온
ἵνα πᾶς ὁ πιστεύων εἰς αὐτὸν μὴ ἀπόληται ἀλλ' ἔχῃ ζωὴν αἰώνιον.											
히나	빠스	호	삐스뜌온	에이스	아우똔	메	아뿔레따이	알라	에케	조엔	아이오니온
히나	빠스	호	삐스뜌온	에이스	아우똔	메	아뿔레따이	알라	에케	조엔	아이오니온

어떤 단어가 무슨 뜻인지 지금은 답답하시죠? 하지만, 지금은 해석하는 것이 중요하지 않습니다. 일단 "왕초보 헬라어 펜습자"는 읽을 수 있는 것을 목표로 합니다. 읽을 수 있을 때, '이건 무슨 뜻이지?'라며 궁금증이 생기고 찾아보게 됩니다. 그 답답함을 계속 키워나가 보세요.

이번에는 빌립보서 4 장 13 절입니다. 천천히 읽으면서 따라 써보세요.

πάντα ἰσχύω ἐν τῷ ἐνδυναμοῦντί με.
빤따　이스퀴오　엔　또　엔도나문띠　메

πάντα ἰσχύω ἐν τῷ ἐνδυναμοῦντί με.
빤따　이스퀴오　엔　또　엔도나문띠　메

빤따　이스퀴오　엔　또　엔도나문띠　메

베드로전서 5 장 7 절도 적어볼까요?

πᾶσαν τὴν μέριμναν ὑμῶν ἐπιρίψαντες ἐπ' αὐτόν, ὅτι αὐτῷ μέλει περὶ ὑμῶν.
빠싼　뗀　메림난　휘몬　에피리프산떼스　에프　아우똔　호띠　아우또　멜레이　페뤼　휘몬

πᾶσαν τὴν μέριμναν ὑμῶν ἐπιρίψαντες ἐπ' αὐτόν, ὅτι αὐτῷ μέλει περὶ ὑμῶν.
빠싼　뗀　메림난　휘몬　에피리프산떼스　에프　아우똔　호띠　아우또　멜레이　페뤼　휘몬

빠싼　뗀　메림난　휘몬　에피리프산떼스　에프　아우똔　호띠　아우또　멜레이　페뤼　휘몬

이번에는 로마서 12 장 18 절을 적어보겠습니다.

εἰ δυνατὸν τὸ ἐξ ὑμῶν, μετὰ πάντων ἀνθρώπων εἰρηνεύοντες.
에이　뒤나똔　또　엑스　휘몬　메따　빤똔　안뜨로뽄　에이레뉴온떼스

εἰ δυνατὸν τὸ ἐξ ὑμῶν, μετὰ πάντων ἀνθρώπων εἰρηνεύοντες.
에이　뒤나똔　또　엑스　휘몬　메따　빤똔　안뜨로뽄　에이레뉴온떼스

에이　뒤나똔　또　엑스　휘몬　메따　빤똔　안뜨로뽄　에이레뉴온떼스

적기만 하는 건 아니죠? 꼭! 따라 읽으면서 써야 한다는 걸 잊지 마세요. 이 책의 목적은 해석이 아니라 '읽기'라는 것을 분명히 기억해야 합니다.

이번에는 히브리서 11 장 1 절도 적어보겠습니다.

Ἔστιν δὲ πίστις ἐλπιζομένων ὑπόστασις, πραγμάτων ἔλεγχος οὐ βλεπομένων.

에스띤　데　삐스띠스　엘삐소메논　휘뽀스따시스　쁘라그마똔　엘렝코스　우　발레뽀메논

Ἔστιν δὲ πίστις ἐλπιζομένων ὑπόστασις, πραγμάτων ἔλεγχος οὐ βλεπομένων.

에스띤　데　삐스띠스　엘삐소메논　휘뽀스따시스　쁘라그마똔　엘렝코스　우　발레뽀메논

에스띤　데　삐스띠스　엘삐소메논　휘뽀스따시스　쁘라그마똔　엘렝코스　우　발레뽀메논

요한일서 1 장 4 절도 한 번 적어볼께요.

καὶ ταῦτα γράφομεν ἡμεῖς, ἵνα ἡ χαρὰ ἡμῶν ἡ πεπληρωμένη.

까이　따우따　그라뽀멘　헤메이스　히나　헤　카라　헤몬　헤　뻬쁠레로메네

καὶ ταῦτα γράφομεν ἡμεῖς, ἵνα ἡ χαρὰ ἡμῶν ἡ πεπληρωμένη.

까이　따우따　그라뽀멘　헤메이스　히나　헤　카라　헤몬　헤　뻬쁠레로메네

까이　따우따　그라뽀멘　헤메이스　히나　헤　카라　헤몬　헤　뻬쁠레로메네

마지막 문장으로는 야고보서 1 장 22 절을 적어보겠습니다.

Γίνεσθε δὲ ποιηταὶ λόγου καὶ μὴ ἀκροαταὶ μόνον παραλογιζόμενοι ἑαυτούς.

기네스떼　데　뽀이에따이　로구　까이　메　아끄로아따이　모논　빠라로기조메노이　헤아우뚜스

Γίνεσθε δὲ ποιηταὶ λόγου καὶ μὴ ἀκροαταὶ μόνον παραλογιζόμενοι ἑαυτούς.

기네스떼　데　뽀이에따이　로구　까이　메　아끄로아따이　모논　빠라로기조메노이　헤아우뚜스

| 기네스떼 | 데 뽀이에따이 | 로구 | 까이 메 | 아끄로아따이 | 모논 | 빠라로기조메노이 | 헤아우뚜스 |

마지막으로 '사랑' 장으로 많은 사람들에게 사랑받고 있는 고린도전서 13 장 4 절~7 절까지의 말씀을 한 번 읽어보는 것으로 "왕초보 헬라어 펜습자"를 마칠까 합니다. 저작권법을 지키기 위해 개역한글 역본을 인용토록 하겠습니다. 우선 한글성경을 읽어 보시고, 다음 페이지에 펼쳐지는 헬라어 성경을 읽어가며 한 번 따라 써보시기 바랍니다.

"

사랑은 오래 참고 사랑은 온유하며

투기하는 자가 되지 아니하며

사랑은 자랑하지 아니하며 교만하지 아니하며

무례히 행치 아니하며 자기의 유익을 구치 아니하며

성내지 아니하며 악한 것을 생각지 아니하며

불의를 기뻐하지 아니하며 진리와 함께 기뻐하고

모든 것을 참으며 모든 것을 믿으며

모든 것을 바라며 모든 것을 견디느니라

ἀγάπη

아가뻬

사랑

Ἡ ἀγάπη μακροθυμεῖ, χρηστεύεται ἡ ἀγάπη,

헤	아가뻬	마끄로뛰메이,	크레스뜌에따이	헤	아가뻬
사랑은		오래 참고	온유한	것	사랑은

οὐ ζηλοῖ ἡ ἀγάπη,

우	젤로이	헤	아가뻬
않는	질투하지	것	사랑은

οὐ περπερεύεται, οὐ φυσιοῦται,

우	뻬르뻬류에따이,	우	퓌시우따이
않는다	자랑하지	않다	교만하지

οὐκ ἀσχημονεῖ, οὐ ζητεῖ τὰ ἑαυτῆς,

우크	아스케모네이	, 우	제떼이	따	헤아우떼스
않다	무례하지	않는다	찾지	것을	자신의

οὐ παροξύνεται, οὐ λογίζεται τὸ κακόν,

우	빠로크쉬네따이,	, 우	로기제따이	또	까꼰,
않는다	분노하지	않는다	계산하지	것	나쁜/악한

οὐ χαίρει ἐπὶ τῇ ἀδικίᾳ, συγχαίρει δὲ τῇ ἀληθείᾳ·

우	카이레이	에삐	떼	아디끼아	,	슁카이레이	데	떼	알레떼이아
않는다	기뻐하지	~에	것	불의한		함께 기뻐하다	그러나		진리에

πάντα στέγει, πάντα πιστεύει,

빤따	스떼게이	빤따	삐스뜌에이
모든 것을	덮고	모든 것을	믿는다

πάντα ἐλπίζει, πάντα ὑπομένει.

빤따	엘삐제이,	빤따	휘뽀메네이.

모든 것을   기대하고   모든 것을   견딘다

모든 것을   기대하고   모든 것을   견딘다

ἀγάπη

아가뻬

사랑

Ἡ ἀγάπη μακροθυμεῖ, χρηστεύεται ἡ ἀγάπη,

헤	아가뻬	마끄로뛰메이,	크레스뜌에따이	헤	아가뻬
사랑은		오래 참고	온유한	것	사랑은

οὐ ζηλοῖ ἡ ἀγάπη,

우	젤로이	헤	아가뻬
않는	질투하지	것	사랑은

οὐ περπερεύεται, οὐ φυσιοῦται,

우	뻬르뻬류에따이,	우	퓌시우따이
않는다	자랑하지	않다	교만하지

οὐκ ἀσχημονεῖ, οὐ ζητεῖ τὰ ἑαυτῆς,

우크	아스케모네이 ,	우	제떼이	따	헤아우떼스
않다	무례하지	않는다	찾지	것을	자신의

οὐ παροξύνεται, οὐ λογίζεται τὸ κακόν,

우	빠로크쉬네따이,	, 우	로기제따이	또	까꼰,
않는다	분노하지	않는다	계산하지	것	나쁜/악한

οὐ χαίρει ἐπὶ τῇ ἀδικίᾳ, συγχαίρει δὲ τῇ ἀληθείᾳ·

우	카이레이	에삐	떼	아디끼아 ,	슁카이레이	데	떼	알레떼이아
않는다	기뻐하지	~에	것	불의한	함께 기뻐하다	그러나		진리에

πάντα στέγει, πάντα πιστεύει,

빤따	스떼게이	빤따	삐스뜌에이
모든 것을	덮고	모든 것을	믿는다

πάντα ἐλπίζει, πάντα ὑπομένει.

빤따	엘삐제이,	빤따	휘뽀메네이.
모든 것을	기대하고	모든 것을	견딘다

"
ἀγίασον αὐτοὺς ἐν τῇ ἀληθείᾳ· ὁ λόγος ὁ σὸς ἀλήθεια ἐστιν.

"

κατὰ Ἰωάννην 17:17

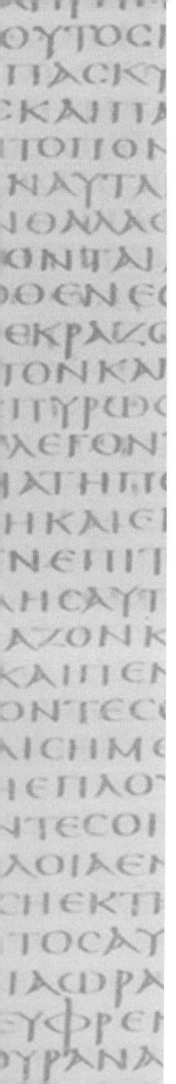

마치며

여기까지 오시느라 수고 많으셨습니다. 이제 헬라어가 어느 정도 읽어지시죠? 아직 더 듬거리거나 잘 읽지 못한다고 해도 괜찮습니다. 꾸준히 반복적으로 이 책의 내용을 학습하신다면, 금세 익숙한 상태에 진입하게 됩니다. 문법이나 단어는 읽다 보면 익숙해지니 부담을 가지실 필요가 전혀 없습니다. 왜냐하면, 우리의 목표는 헬라어로 프리토킹을 하는 것이 아니기 때문입니다. 모든 것은 '꾸준함'이 필요합니다. 헬라어 성경을 꾸준히 읽으면서 각종 툴들로 궁금한 점을 차근차근 해결해 가면, 그리 오래 걸리지 않을 것입니다.

현대 그리스인들이 쓰는 말과 성경 헬라어는 많이 다릅니다. 조선시대의 단어나 뉘앙스와 현재 우리나라가 사용하는 단어나 뉘앙스가 많이 다른 것처럼 말이지요. 모음의 경우에는 발음도 차이가 있어서 그리스인의 성경 헬라어 강의 영상을 봐도 일관되지 않는 경우가 많을 정도입니다. 이런 환경 속에서도 말씀을 사모하여 배우고자 노력하는 여러분들이 있기에 저 또한 그리스도인으로써 원어성경에 대한 갈망이 그치지 않는 것 같습니다.

성경은 지금까지 많은 번역본이 나와 있습니다. 지금도 계속 새로운 번역본이 나오고 있습니다. 그러나 원전이라고도 불리는 성경에 가장 가까운 의미와 아름다움은 다른 그 어떤 언어로도 느끼기 힘든 크나큰 감동을 줍니다. 지금 여러분은 헬라어 본문을 읽을 수 있다는 것만으로도 벌써 한 걸음을 뗐습니다. 이 감격스러운 한 걸음이 또 다른 한 걸음으로 이어지길 바랍니다. 아울러 앞으로 출간될 헬라어 성경읽기 관련 교재들과 '왕초보 원어성경읽기 강좌'도 많은 관심과 응원 부탁드립니다.

지금까지 열심히 따라와 주신 여러분께 하나님의 은혜와 더욱 풍성한 감동이 여러분과 함께 하시길 주님의 이름으로 축원합니다.

감사합니다.

저자   허 동 보   목사 드림

왕초보 헬라어 펜습자 - 성경 그리스어 알파벳 따라쓰기

발　행| 2024 년 1 월 15 일
저　자| 허동보
기　획| 허동보
편　집| 허동보
디자인| 허동보

펴낸이| 한건희
펴낸곳| 주식회사 부크크
출판사등록| 2014.07.15 (제 2014-16 호)
주　소| 서울특별시 금천구 가산디지털 1 로 119　SK 트윈타워 A 동 305 호
전　화| 1670-8316
이메일| info@bookk.co.kr

ISBN| 979-11-410-6588-1

www.bookk.co.kr

왕초보 히브리어 펜습자
알파벳 따라쓰기

저자 - 허동보

수현교회 담임목사
AP부모교육 국제지도자
왕초보 히브리어/헬라어 성경읽기 강사
Covenant University, CA. 통합과정 중

210X297mm / 62페이지 / 7,500원

히브리어, 어렵지 않습니다.
단지 익숙하지 않을 뿐입니다.

모든 언어는 문법보다 더욱 중요한 것이 있습니다. 바로 읽고 쓰는 것입니다.

기본에 충실합니다.

이 책은 단순합니다. 다른 알파벳 교재와 달리 읽고 쓰는 것에만 집중했습니다.
쓰는 순서, 자음과 모음의 발음, 읽는 방법 등 정말 기본적이고 기초적인 것에
집중을 했습니다.

남녀노소 누구나 할 수 있습니다.

모든 언어는 왕도가 없습니다. 처음에 말과 글을 배울 때 복잡한 문법부터 공부하는
사람은 없습니다. 이 책은 어린이, 청소년을 비롯하여 히브리어에 관심만 있다면
모든 연령이 쉽게 배울 수 있도록 집필되었습니다.

다양한 미디어로 공부가 가능합니다.

책 속에는 노트가 더 필요한 분들이 직접 인쇄할 수 있도록 QR코드를 제공하고
있습니다. 알파벳송은 따라부를 수 있도록 영상 QR코드를 제공합니다. 그 외
다양한 미디어 학습을 체험하실 수 있습니다.